Barbara Park

Zuźka D. Zołzik
na przeszpiegach

Przełożyła Magdalena Koziej

Ilustrowała Denise Brunkus

Nasza Księgarnia

1 / Przeszpiegi

Nazywam się Zuźka Zołzik. A właściwie to Zuzanna D. Zołzik. Na D zaczyna się imię Danuta. Tylko że mnie się Danuta wcale nie podoba. Wystarczy więc samo D.

Chodzę do przedszkola. Tam się chodzi przed pierwszą klasą w szkole. Nie wiem tylko, dlaczego mówi się, że to jest przedszkole. Bo właściwie to ja chodzę do klasy zerowej, czyli do zerówki.

Moja nauczycielka nazywa się Pani. Ma jeszcze inne imię. Ale ja lubię po prostu mówić do niej Pani.

Pani ma krótkie brązowe włosy. I nosi długie wełniane spódnice. I naprawdę dużo się śmieje.

Tylko czasami, kiedy hałasuję, patrzy na mnie i głośno klaszcze.

Kiedyś bardzo się bałam tego klaskania. Ale potem się przyzwyczaiłam. Teraz w ogóle nie zwracam na nie uwagi.

Chciałabym, żeby Pani mieszkała blisko mojego domu. Wtedy byłybyśmy sąsiadkami. I najlepszymi przyjaciółkami.

I mogłabym ją szpiegować.

Jak się kogoś szpieguje, to trzeba się zachowywać bardzo cicho. I zerka się na ludzi przez dziurkę, szczelinę czy coś takiego.

Ja jestem bardzo dobrym szpiegiem.

To dlatego, że mam przebiegłe stopy. I nie sapię, jak oddycham.

W zeszły piątek, jak byłam u dziadka Henryka, schowałam się w koszu na brudy.

Kiedy dziadek wszedł do łazienki, uniosłam trochę pokrywę i zaczęłam go podglądać.

I wiecie co?

Dziadek Henryk wyjął sobie z buzi wszystkie zęby! Słowo daję!

Wtedy ja wyskoczyłam z kosza.

– HEJ! DZIADKU! JAK TO ZROBIŁEŚ? TO NIESAMOWITE! – zawołałam.

Dziadek wrzasnął i pędem wybiegł z łazienki. Zdaje się, że dziadek Henryk ma wysokie ciśnienie.

Po chwili w łazience zjawiła się rozzłoszczona mama.

– Dosyć tego! – krzyknęła. – Koniec szpiegowania! Ostatni raz zwracam ci uwagę. Słyszysz mnie, moja panno? Tak czy nie?

– Tak – powiedziałam. – Słyszę, bo wrzeszczysz mi wprost do ucha.

Mama zabrała mnie do domu. I była wściekła.

– Teraz wymyśl sobie jakąś cichą zabawę – burknęła. – Twój braciszek musi trochę pospać.

Długo myślałam, co by tu zrobić. Nagle wpadłam na świetny pomysł.

Najpierw zdjęłam moje głośne buty...

Potem w samych skarpetkach zakradłam się do pokoju Olesia.

I szpiegowałam go przez kraty w łóżeczku. Przecież nie ma cichszej zabawy niż szpiegowanie!

Ale wcale się dobrze nie bawiłam, bo ten nudny dzieciak tylko spał i spał.

Wcale nie był zabawny.

I tak jakoś niechcący dmuchnęłam mu leciutko w buzię.

I połaskotałam go w nosek wstążeczką.

Wreszcie wrzasnęłam mu wprost do ucha:

– OBUDŹ SIĘ!

I wiecie co? Oleś otworzył oczka!

Potem zaczął strasznie głośno płakać. Do pokoju wpadła mama. Wcale mnie nie zauważyła, bo prędziutko schowałam się w szafie!

Uśmiechnęłam się do siebie. Naprawdę jestem najlepszym szpiegiem na świecie, powiedziałam do siebie w myślach.

A potem, gdy jechałam autobusem do szkoły, troszkę się przechwalałam.

– Jestem najlepszym szpiegiem na świecie – powiedziałam do swojej przyjaciółki Grety.

Zdjęłam buty i pokazałam jej przebiegłe stopy w cichych skarpetkach.

– Widzisz? – spytałam. – Widzisz, jakie są cichutkie? W ogóle ich nie słychać, jak chodzą.

Potem zrobiłam wdech i wydech.

– Widzisz? Mój nos też nie świszcze ani nic – dodałam.

Greta się uśmiechnęła.

– Ja też jestem dobra w szpiegowaniu – oświadczyła z dumą.

Poklepałam ją po plecach.

– Jasne – przyznałam – ale niestety, Greta, nie możesz być w tym taka dobra jak ja. Bo ja powiedziałam to pierwsza.

Greta odetchnęła mi prosto w twarz. Takie coś nazywa się chyba sapnięciem.

– Słyszałam, że twój nos świszcze, Greta – zauważyłam.

Kiedy autobus zajechał pod szkołę, popędziłyśmy na plac zabaw.

Greta dobiegła pierwsza, ale pomyślałam, że to się nie liczy, bo akurat wtedy ja się wcale nie ścigałam.

Potem bawiłyśmy się w koniki z moją drugą najlepszą przyjaciółką, Lucynką. Tylko że niedługo usłyszałyśmy dzwonek i razem ze wszystkimi popędziłyśmy do Sali numer 9.

Pani czekała na nas przy drzwiach.

– Dzień dobry, panienki – powiedziała.

– Dzień dobry pani – odpowiedziałam bardzo grzecznie.

Wtedy Pani się uśmiechnęła do mnie.

Bo ona jest najmilszą nauczycielką, jaką znam.

Dlatego właśnie chciałabym, żebyśmy zostały najlepszymi przyjaciółkami.

I wiecie, co jeszcze?

Chciałabym się chować w jej koszu na brudy.

2 / Pytania

Ja i moja najlepsza przyjaciółka Lucynka siedzimy w jednej ławce.

W ławce trzeba siedzieć prosto.

I robić ćwiczenia.

I nie wolno rozmawiać z sąsiadem.

Tylko że o tym ostatnim ciągle zapominam.

– Ciekawa jestem, gdzie Pani mieszka – wyszeptałam bardzo cichutko do Lucynki.

– Ciii! – syknęła Lucynka. – Nie możemy gadać, bo dostaniemy karę. A zresztą nie wolno wiedzieć, gdzie ona mieszka. Bo to jest sekret.

– A kto tak powiedział? – spytałam.

– A mój brat. On jest w trzeciej klasie. I mówi, że nauczyciele nie mogą zdradzać, gdzie mieszkają. Bo inaczej to dzieci przychodziłyby pod ich domy i rzucały w nie zgniłymi pomidorami.

Sapnęłam mocno na Lucynkę.

– Jasne, tylko że ja wcale nie chcę rzucać zgniłymi pomidorami – wyjaśniłam. – Chcę schować się w jej koszu na brudy.

– Nieważne. – Lucynka wzruszyła ramionami. – I tak ci nie wolno wiedzieć, gdzie ona mieszka. Bo mój brat tak powiedział. A on wie więcej od ciebie, i już.

Skrzywiłam się ze złością. Potem przez chwilę zastanawiałam się, co jej odpowiedzieć.

– To wcale nie jest miło mówić komuś „i już" – oznajmiłam.

I pogroziłam jej pięścią. Tylko że Pani to zauważyła. I musiałam opuścić rękę na ławkę.

Potem zachowywałam się bardzo grzecznie. Siedziałam całkiem prosto. I robiłam pilnie wszystkie ćwiczenia.

A jak się robi ćwiczenia, to trzeba używać głowy i ołówka.

Tylko że czasami niechcący trochę za mocno ścieram gumką. I w kartce robi się dziura, przez którą można patrzeć.

– Ale mi się dzisiaj udało! – zawołałam. – Wie Pani co? Nie zrobiłam ani jednej dziury!

Pani podeszła do mojej ławki. Przykleiła do mojej pracy złotą gwiazdkę.

– Bardzo ładnie, Zuziu – pochwaliła. – Może powieszę tę pracę na ścianie na poniedziałkowy Dzień Babci i Dziadka? Chciałabyś?

– Tak – powiedziałam. – Tylko że ja ciągle za-pominam, jak to ma być, kiedy babcia i dziadek tu się zjawią.

Wtedy Pani znowu wyjaśniła mi, co się będzie działo w Dzień Babci i Dziadka.

Powiedziała, że babcie i dziadkowie przyjdą do nas z wizytą. A my pokażemy im Salę numer 9. Potem będzie poczęstunek.

Pani wytłumaczyła, że poczęstunek to ciastecz-ka i napoje.

Podniosłam rękę.

– Tylko że mnie nie wolno pić napojów. Mnie pozwalają pić tylko mleko i soki.

Pani popatrzyła na sufit. Wtedy ja też tam spoj-rzałam. Ale nic specjalnego tam nie zauważyłam.

– Kto z was mógłby przynieść na poniedziałek ciasteczka? – spytała Pani.

– JA, JA! – wrzasnęłam na całe gardło. – BO MOJA MAMA PIECZE NAJLEPSZE CIASTECZKA NA ŚWIECIE! TYLKO ŻE RAZ ZAPOMNIAŁA, ŻE SĄ W PIECYKU. I MUSIAŁ PRZYJŚĆ DO NAS STRAŻAK.

Pani się roześmiała. Tylko nie wiem dlaczego. Bo to przecież nie była zabawna historia.

Potem dała mi liścik do mamy. Myślę, że napisała tam coś o ciasteczkach.

– Jeśli twoja mama będzie miała jakieś pytania, poproś, by do mnie zadzwoniła – powiedziała Pani z uśmiechem.

A ja wpadłam na świetny pomysł.

– Proszę pani! – zawołałam. – Może z mamusią przyniesiemy ciasteczka do pani domu? Wtedy zobaczę, gdzie pani mieszka!

Pani poczochrała mi trochę włosy.

– Nie musisz przychodzić do mnie do domu, Zuziu. Po prostu przynieś ciasteczka do przedszkola w poniedziałek rano.

Uśmiechnęłam się bardzo słodko.

– Ale ja i tak chcę zobaczyć, gdzie pani mieszka – zapewniłam.

Wtedy Pani się odwróciła i poszła do swego biurka. No to ja musiałam pójść za nią.

– Czy Pani ma bogaty dom? Czy taki zwyczajny? – spytałam. – Bo ja mieszkam w takim zwyczajnym domu. Ale mama chciałaby mieć bogaty. A tatuś mówi: jak nam się poszczęści.

Pani wskazała na moje krzesło. To chyba znaczy: siadaj.

– A jeszcze się chciałam zapytać, czy Pani też mieszka z tatusiem? Ma Pani w portfelu jego zdjęcie? Mogę zobaczyć? A ma pani w portfelu taką tajną kieszonkę? Bo mój dziadek Henryk ma i trzyma tam zawsze pieniądze. Tylko niech Pani nie mówi o tym babci.

Pani wzięła mnie za rękę i poszłyśmy razem do mojej ławki.

– Ale ja chciałabym jeszcze o coś zapytać. To znaczy o to, kiedy chodzi Pani spać. Bo ja muszę iść do łóżka, jak mała wskazówka jest na siódemce, a duża na szóstce. Tylko że ja nie cierpię chodzić wtedy spać. Bo przecież wcale jeszcze nie jestem zmęczona.

Pani położyła sobie palec na ustach.

– Wystarczy, Zuziu – powiedziała. – Mówię poważnie. Masz teraz spokojnie usiąść w ławce.

Potem szybko wróciła do swojego biurka. I nie odpowiedziała na żadne moje pytanie.

A wiecie dlaczego?

Bo Pani jest tajemniczą osobą.

3 / Tajemnicza osoba

Ja i moja najlepsza przyjaciółka Greta wracały-
śmy razem do domu autobusem.

Wtedy powiedziałam jej o naszej Pani i jej ukry-
tym domu.

– Pani jest tajemniczą osobą – wyjaśniłam. – Bo
nie odpowiedziała na żadne moje pytanie. I teraz
mnie skręca z ciekawości.

Greta zmarszczyła brwi i przyznała:

– Mnie też skręca.

A ja znowu ją poklepałam po plecach i oświad-
czyłam:

– No tak, ale niestety, Greta, ciebie nie może skręcać aż tak jak mnie, bo ja to pierwsza powiedziałam, pamiętasz?

Greta tylko sapnęła na mnie tak jak wcześniej.

– Ojej. Twój nos ciągle okropnie świszcze – zauważyłam.

Kilka minut później wysiadłam z autobusu. Popędziłam do domu jak rakieta.

– BABCIU! BABCIU! – zawołałam. – TO JA! TO JA, ZUZIA! WRÓCIŁAM Z PRZEDSZKOLA!

Babcia Teresa opiekuje się mną i Olesiem, kiedy mama jest w pracy. Właśnie teraz babcia była w kuchni i karmiła Olesia jakąś mazią.

– WIESZ CO, BABCIU? MOJA NAUCZYCIELKA JEST TAJEMNICZĄ OSOBĄ! NIE CHCE MI POWIEDZIEĆ, GDZIE MIESZKA! A JA TAK STRASZNIE CHCĘ PÓJŚĆ DO JEJ DOMU!

Babcia Teresa próbowała mnie uciszyć.

– Nie musisz krzyczeć, Zuziu – powiedziała. – Jestem przecież tuż obok ciebie.

– Tak, ale ja nie mogę się powstrzymać, babciu! Bo mnie skręca z ciekawości, gdzie Pani mieszka.

Babcia Teresa się uśmiechnęła.

– Ciekawość zabiła kota! – mruknęła.

Otworzyłam buzię ze zdumienia i wytrzeszczyłam na nią oczy.

– Którego kota, babciu? Gdzie go zabiła ta ciekawość? Czy to było na ulicy koło mojego przedszkola? Widziałam tam takiego rozkwaszonego kota. Tylko Kazik powiedział, że tego kota przejechała ciężarówka z lodami.

Babcia Teresa przyglądała mi się przez długą chwilę, nie mówiąc ani słowa. Potem nalała sobie wody. I wzięła aspirynę.

Właśnie wtedy usłyszałam jakieś szuranie przy drzwiach. A to znaczyło, że mama wróciła weszcie z pracy!

– MAMO! MAMO! MAM WAŻNY LIST OD PANI. BO MAMY UPIEC PYSZNE CIASTECZKA. I WTEDY ZANIESIEMY JE DO JEJ DOMU I ZOBACZYMY, GDZIE MIESZKA!

Mama przeczytała liścik.

– Pani napisała, żeby przynieść ciasteczka do przedszkola, Zuziu, a nie do jej domu.

– Tak, wiem. Ale moja Pani jest tajemniczą osobą i nie chce mi powiedzieć, gdzie mieszka. Muszę sama się dowiedzieć.

Mama pokręciła głową.

– Co to, to nie, wrzaskaczu.

– Co to, to tak!! – wrzasnęłam. – Muszę! Bo mnie aż skręca z ciekawości, dlatego muszę się dowiedzieć, gdzie jest ten jej dom. Bo jak nie, to przejedzie mnie ciężarówka z lodami. Babcia tak powiedziała.

Mama spojrzała ze zdziwieniem na babcię, a babcia, nic nie mówiąc, łyknęła drugą aspirynę.

– Twoja nauczycielka nie jest wcale tajemniczą osobą, Zuziu – powiedziała surowo mama. – Jest całkiem zwyczajną osobą. I ma normalną rodzinę. I nie ma mowy, żebyśmy ją niepokoiły w jej własnym domu.

Tupnęłam nogą ze złości.

– A WŁAŚNIE, ŻE TAK! – wrzasnęłam. – BO JA TAK CHCĘ! I JUŻ!

Potem kazano mi iść do mojego pokoju. Że niby nie wolno wrzeszczeć. I nie wolno tupać nogami. Wcale nie słyszałam wcześniej o tych głupich zakazach.

Trzasnęłam drzwiami ze złością. Potem wcisnęłam głowę pod poduszkę. I powiedziałam mamie, że jest okropna.

– I wiesz co? – dodałam bardzo cicho. – Nauczyciele nie są zwykłymi ludźmi. I już. Cha, cha!

4

Ozdoby do ciasteczek i inne sprawy

Następny dzień to była sobota. W sobotę zawsze chodzę z mamą na zakupy.

W sklepie obowiązują różne zasady. Nie wolno mi na przykład wrzeszczeć: JA CHCĘ LODA! I nie wolno nazywać mamy skąpiradłem, kiedy nie chce mi go kupić.

Nie wolno też zjadać żelków z torebki, która nie jest moja. Bo kiedyś taki pan ze sklepu wyrwał mi torebkę z ręki i powiedział: „Zjadać to to samo co kraść, młoda damo".

Potem zaprowadził mnie do mamy, a ona musiała zapłacić za całą torebkę. Tylko nie wiem dlaczego. Bo ja zdążyłam zjeść tylko trzy żelki.

Wózki w sklepie spożywczym mają takie miejsca do siedzenia. Tam siadają dzidziusie. Ale ja nie. Bo duże dziewczynki muszą iść na własnych nogach.

I wiecie co? Raz mama mi pozwoliła pchać wózek bez swojej pomocy.

Tylko że trochę puszek z fasolką spadło na podłogę. A stopa babci wkręciła się w hamulec przy wózku. Więc muszę poczekać z tym pchaniem, aż trochę podrosnę.

Moja ulubiona alejka w sklepie to ta z ciasteczkami. Bo czasem siedzi tam taka pani przy stoliczku. I daje mamie i mnie różne ciasteczka do spróbowania. I nawet nie musimy za nie płacić. To się nazywa promocja.

Niestety tym razem nie było pani z pysznymi ciasteczkami.

– A niech to gęś kopnie! – zawołałam bardzo zawiedziona. – Nie ma pani z promocji.

Mama się uśmiechnęła.

– Nic nie szkodzi – powiedziała. – Przecież jak wrócimy do domu, same upieczemy ciasteczka na wizytę babci i dziadka w przedszkolu. Będzie zabawnie, prawda?

Wzruszyłam ramionami. Bo ciągle byłam na mamę wściekła, że nie chciała pójść ze mną do domu Pani.

– Które ozdoby chcesz do ciasteczek? – spytała mama.

– Wcale nie chce mi się piec ciasteczek – burknęłam ze skrzywioną miną – bo nie chcesz pójść ze mną do domu Pani.

Mama poczochrała mi włosy i powiedziała:

– Dąsanie się nic nie da, Zuziu. Wybierzesz ozdoby czy ja mam to zrobić?

Potem mama wybrała jakieś pudełeczko i mi je podała. Wrzuciłam je ze złością do koszyka.

– Dziękuję – powiedziała mama.

– Jest za co! – burknęłam.

Mama wyprowadziła mnie ze sklepu, żeby uciąć sobie ze mną pogawędkę.

Mama ucina sobie takie pogawędki, jak jest na mnie wściekła. Pyta wtedy: co ty sobie myślisz, moja panno? Jak długo mam to jeszcze znosić?

Potem są przeprosiny. To znaczy ja muszę powiedzieć, że mi przykro i że przepraszam.

Ale wcale tak nie muszę myśleć. Nikt się nie połapie, jak jest naprawdę.

Po pogawędce wróciłyśmy do sklepu.

– Spróbujemy jeszcze raz? – spytała mama.

I podała mi inne pudełko z ozdobami do ciasteczek. A ja bardzo grzecznie i starannie włożyłam je do koszyka.

– Tak to rozumiem – powiedziała mama. – Dziękuję.

Jest za co, powiedziałam do siebie w myślach. I uśmiechnęłam się do siebie.

Bo mama nie mogła tego usłyszeć. I nie wiedziała, co sobie pomyślałam.

Potem wyszłyśmy z alejki z ciasteczkami. A ja zobaczyłam swoją ulubioną rzecz!

Ta rzecz to wodotrysk, taki do picia!

– Pić mi się chce! – zawołałam.

I podbiegłam do wodotrysku, i wspięłam się na schodek.

– Pomóc ci? – zapytała mama.

– Nie – odpowiedziałam – bo mam prawie sześć lat i wiem, jak to coś działa.

– I wiem jeszcze jedno – powiedziałam. – Że nie wolno dotykać ustami kranika. Bo wtedy zarazki wchodzą do środka. I się umiera. – Uśmiechnęłam się z dumą. – Kazik mi powiedział – dodałam zadowolona.

Potem schyliłam się nad wodotryskiem i strasznie długo piłam.

– Pospiesz się, Zuziu – powiedziała mama. – Kończymy zakupy.

Otarłam usta ręką i odpowiedziałam:

– No wiem, ale ja nie mogę się spieszyć. Bo rozboli mnie brzuch i wszystko zwymiotuję. Wczoraj tak miał jeden chłopiec w przedszkolu, Boguś. Zwymiotował na podwórku.

Mama spojrzała na zegarek.

– Dobrze, ja będę tutaj, przy płatkach śniada-
niowych. Jak się napijesz, przyjdź tam zaraz.

Tylko się pospiesz.

– Dobra – powiedziałam bardzo zadowolona.

Potem pochyliłam się nad wodotryskiem i piłam okropnie długo.

Tylko że po chwili zrobiło mi się niedobrze.
Musiałam usiąść na schodku i poczekać, aż woda
w brzuchu mi się uspokoi.

Wtedy otworzyły się wielkie drzwi prowadzą-
ce do sklepu.

I wiecie co? O mało mi oczy nie wyskoczyły
z głowy! Bo zobaczyłam coś niesamowitego!

To była Pani!

Moja prawdziwa, żywa nauczycielka. Pani przy-
szła do sklepu spożywczego!

5 / Straszne rzeczy

Pani mnie nie zauważyła. A to dlatego, że błyskawicznie schowałam się za wodotryskiem.

I wiecie co?

Z Panią był jakiś facet! I to taki, którego nigdy wcześniej nie widziałam!

Hej, a to co za jeden?, pomyślałam.

Potem popędziłam najszybciej jak umiałam do alejki z chrupkami, żeby powiedzieć mamie, co zobaczyłam.

Tylko że nagle przypomniałam sobie, że zakazała mi szpiegowania. Więc pomyślałam, że może się na mnie zezłościć, jak jej powiem, co właśnie widziałam.

Dlatego przestałam biec. I zaczęłam iść z powrotem do wodotrysku, żeby poszpiegować Panią.

Ale mama już mnie zauważyła.

– Hej, gdzie idziesz? – zawołała. – Chodź tutaj.

– Ale ja nie mogę – wyjaśniłam – bo właśnie przypomniałam sobie coś bardzo ważnego. Chodzi o to, że jeszcze się nie napiłam.

Popędziłam do wodotrysku. Ale Pani i dziwnego faceta już tam nie było.

– A niech to! – syknęłam. – Gdzie się podziali ci cwaniacy?

Musiałam ich szukać po całym sklepie.

Najpierw zajrzałam tam, gdzie było mleko czekoladowe. Potem tam, gdzie stoi sos pomidorowy. Sprawdziłam też tam, gdzie są pyszne cukierki.

A wiecie, gdzie ich w końcu znalazłam? Przy ohydnych, śmierdzących warzywach!

Szybko przykucnęłam i ukryłam się za rogiem.

Zaczęłam ich szpiegować.

Zobaczyłam, że Pani bierze z półki obleśne brokuły. I pomidory wstręciory. I takie warzywo, które się nazywa seler naciowy.

Ale dziwny facet wyrwał jej tego selera z ręki. I próbował odłożyć go na półkę.

Tylko że Pani mu go zabrała. I udawała, że wali go selerem po głowie. Wreszcie oboje zaczęli się strasznie śmiać. A potem stała się straszna rzecz. To znaczy Pani i dziwny facet się pocałowali!

I to tak przy wszystkich!

Zasłoniłam oczy. Oczywiście dlatego, że się za nią wstydziłam. Przecież nauczyciele nie powinni się całować!

Potem spojrzałam na Panią przez palce. I zobaczyłam, że stoi przy winogronach.

Wzięła z półki gałązkę z zielonymi winogronami. I wtedy stała się druga straszna rzecz!

Bo Pani wzięła jedno grono i włożyła je sobie do buzi!

A potem je ZJADŁA!

Pani ZJADŁA WINOGRONO!

A przecież za nie wcale NIE ZAPŁACIŁA!!

– O, nie! – jęknęłam bardzo smutna. – O nie, nie, nie!

Bo „zjadać to to samo co kraść", pamiętacie?

A nauczycielom nie wolno kraść!

Nauczyciele muszą być doskonalsi! Bo przecież to oni muszą zawsze dawać dobry przykład dzieciom!

Poczułam, że boli mnie brzuch i robi mi się niedobrze.

Pani nikt nie przyłapał i nie dał jej nauczki!

Ani pan ze sklepu. Ani dziwny facet. Nikt.

Tylko ja wszystko widziałam.

6 / Zasznurowane usta

Nie naskarżyłam na Panią.

Gdybym powiedziała mamie, dałaby mi burę za szpiegowanie.

A gdybym powiedziała panu ze sklepu, Panią mogliby wsadzić do więzienia.

Dlatego zachowałam ten sekret dla siebie w swojej głowie.

Bo nikt nie może go tam zobaczyć. Nawet jak zajrzy przez ucho.

W niedzielę przyszli do nas na obiad dziadek Henryk i babcia Teresa.

Niestety nie mogłam z nimi rozmawiać.

Dlatego że sekrety są bardzo śliskie. A nie chciałam, żeby mój sekret wyślizgnął mi się niechcący z buzi.

– Dlaczego jesteś dziś taka jakaś cichutka, Zuziu? – spytała babcia przy stole. – Czy kot odgryzł ci język?

Otworzyłam szeroko usta ze zdziwienia.

– Jaki kot, babciu? Czy to ten sam, którego przejechał samochód z lodami? Dlaczego on chce mój język? Czy jego język rozkwasił się w tym wypadku?

Babcia zrobiła bardzo dziwną minę. I przestała jeść pieczeń. Mama popatrzyła na mnie zdziwiona.

– Nagle zrobiłaś się bardzo gadatliwa – zauważyła. – Czy to znaczy, że już nie jesteś zła z powodu ciasteczek?

Wtedy przypomniałam sobie, że nie wolno mi nic mówić. Bo inaczej sekret mógłby mi się wyślizgnąć.

Bardzo mocno zasznurowałam usta.

I wiecie co? Nawet następnego dnia – gdy jechałam autobusem do przedszkola – ciągle jeszcze miałam zasznurowane usta.

– Cześć, Zuziu! – powiedziała moja najlepsza przyjaciółka Greta.

Ja tylko do niej pomachałam.

Greta się skrzywiła.

– Dlaczego nie mówisz „cześć"? Musisz powiedzieć. Tak trzeba.

Ale ja i tak nie powiedziałam.

Dlatego przezwała mnie głupim śmierdzielem.

A jak przyjechałyśmy do przedszkola, Greta powiedziała Lucynce, że jestem wstrętna.

I zaczęły się bawić w koniki tylko we dwie. Beze mnie.

Dlatego w końcu musiałam zaśpiewać im coś bardzo głośno:

– A JA MAM SEKRET! JA MAM SEKRET! CHA-CHA-CHA!

Greta wzięła się pod boki.

– No i co z tego? – spytała. – Nic nas to nie obchodzi. Prawda, Lucynka?

Tylko że wtedy Lucynka przybiegła do mnie bardzo szybko. Bo ją obchodziło.

– Jak zdradzisz mi swój sekret, będę twoją najlepszą przyjaciółką – zaproponowała.

– Ale ja nie mogę, Lucynka – wyjaśniłam. – Bo gdybym zdradziła ci ten sekret, Pani mogłaby mieć duże kłopoty. Dlatego muszę trzymać go w swojej głowie.

Lucynka się skrzywiła.

– To niedobrze trzymać sekrety w głowie, Zu- ziu – powiedziała. – Mój brat mówi, że od tego robi się w głowie ciśnienie. I zaraz głowa ci wybucha.

Wytrzeszczyłam na nią oczy.

– O nie! – zawołałam naprawdę zmartwiona.

Potem objęłam głowę obiema rękami i mocno ścisnęłam. I jak strzała popędziłam do gabinetu pielęgniarki.

Bo przecież ona ma plaster, którym można skleić głowę.

– MOJA GŁOWA WYBUCHNIE! MOJA GŁO- WA WYBUCHNIE! – krzyknęłam.

Pielęgniarka wyskoczyła zza biurka i do mnie podbiegła.

– Co ci się stało, Zuziu? Czy boli cię głowa? – zapytała.

– Nie. Ale mam w głowie sekret. Chodzi o Panią. Tylko że ja nie mogę nikomu zdradzić tego sekretu! I dlatego mam w głowie ciśnienie. I potrzebuję plastra. Bo inaczej głowa wybuchnie!

Pielęgniarka powiedziała, żebym się natychmiast uspokoiła. Potem obkleiła mi głowę plastrem. I zaprowadziła mnie do gabinetu Dyrektora.

Dyrektor to szef przedszkola.

Znam się z nim bardzo dobrze.

To dlatego, że często mnie do niego wysyłają. Więc teraz się go już właściwie nie boję.

Dyrektor kazał mi usiąść na wielkim drewnianym krześle.

– Dzień dobry, Zuziu – powiedział. – O co chodzi tym razem?

– Dzień dobry – odpowiedziałam. – Moja głowa wybuchnie.

Dyrektor wytrzeszczył oczy ze zdziwienia.

– Dlaczego tak myślisz? – zapytał.

Trochę się powierciłam na krześle, a potem odpowiedziałam:

– Bo mam w niej sekret.

Dyrektor usiadł przy swoim wielkim biurku i złożył ręce.

– Może będę mógł ci jakoś pomóc, jak zdradzisz mi ten sekret – powiedział.

– Ale ja nie mogę – wyjaśniłam.

Dyrektor popatrzył na mnie z bardzo zawiedzioną miną.

– A ja myślałem, że jesteśmy kumplami – westchnął.

– Bo jesteśmy – przyznałam. – Nawet się pana nie boję.

Dyrektor zachichotał.

– To dobrze – zapewnił. – Ale dlaczego nie chcesz mi powiedzieć, co cię trapi?

Wtedy westchnęłam głośno, patrząc na niego. Bo on w ogóle mnie nie słuchał.

– Przecież już powiedziałam, że nie mogę zdradzić tego sekretu. Bo gdybym zaczęła mówić, mogłabym niechcący powiedzieć panu, że moja nauczycielka ukradła winogrona w sklepie spożywczym. A wtedy ona musiałaby pójść do więzienia. I dlatego muszę trzymać ten sekret w głowie.

Wygładziłam spódniczkę i dodałam:

– Koniec.

Potem zasznurowałam usta bardzo mocno.

Żeby mój sekret się nie wyślizgnął.

Ale wiecie co?

Chyba już to zrobił.

7 / Kwaśne winogrona

Dyrektor wezwał Panią do swego gabinetu.

Tylko że ja nie wiedziałam, że on zrobi taką podstępną rzecz.

Dlatego musiałam naciągnąć sobie spódniczkę na głowę. Bo inaczej Pani by mnie zobaczyła. I dowiedziałaby się, że na nią naskarżyłam.

– Nie rób tak – powiedział Dyrektor.

– Ale mi wolno – odpowiedziałam spod spódniczki. – Bo mam na sobie nowe czerwone rajstopy. A na nich jeszcze bokserki.

Potem Dyrektor wyszedł z gabinetu.

A ja usłyszałam za drzwiami głos Pani.

Wtedy szybko zerwałam się z tego wielkiego drewnianego krzesła. I schowałam się pod ogromnym biurkiem Dyrektora. Bo bałam się tego, co się stanie. Przez wiele minut siedziałam tam bardzo

cichutko. Potem usłyszałam kroki zbliżające się do gabinetu. Zaczęłam oddychać jak najciszej.

– Zuziu? Gdzie jesteś? – spytał Dyrektor.

– Pewnie się gdzieś schowała – powiedziała Pani. – Jest w tym naprawdę dobra.

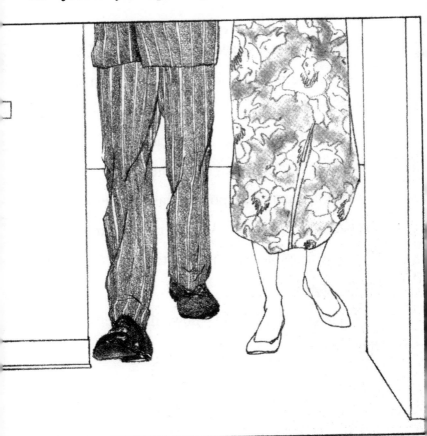

Musiałam szybko coś wymyślić. Inaczej zaczęliby mnie szukać.

– Zuzia wcale się nie chowa – zabuczałam strasznym głosem. – Zuzia musiała iść do domu. Ale nie dzwońcie do jej mamy. Bo się na was wścieknie i rozwali wam głowy.

Ktoś szybko podszedł do biurka. To był Dyrektor.

– Natychmiast wyjdź stamtąd, młoda damo – powiedział.

Wyjrzałam na niego z ukrycia.

– Trafiony zatopiony – szepnęłam.

Potem musiałam znowu usiąść na tym wielkim drewnianym krześle. A Pani usiadła koło mnie. Tylko że ja wcale na nią nie patrzyłam. Bo mogłaby pogrozić mi pięścią.

– Dzień dobry, Zuziu – powiedziała całkiem miłym tonem.

Przełknęłam głośno ślinę.

– Chyba musimy sobie coś wyjaśnić – zaproponowała.

Wtedy moje oczy zrobiły się mokre. Bo coś wyjaśnić to znaczy, że dostanę burę.

– No tak, ale ja starałam się na Panią nie naskarżyć – powiedziałam bardzo szybko. – Bo nie chciałam, żeby poszła Pani do więzienia za kradzież winogron. Dlatego trzymałam ten sekret w swojej głowie. Nikomu nie zdradziłam. I babcia Teresa myślała, że kot odgryzł mi język. Tylko że Lucynka powiedziała mi dzisiaj, że głowa mi wybuchnie. Dlatego pobiegłam do pani pielęgniarki po plaster. A ona przyprowadziła mnie do Dyrektora. I wtedy sekret niechcący wyślizgnął mi się z ust – wytłumaczyłam.

Pani osuszyła mi oczy chusteczką.

– Nic nie szkodzi, Zuziu – zapewniła. – Wcale nie jestem na ciebie zła. Chcę się tylko dowiedzieć, co zobaczyłaś w sklepie. Co tam robiłam?

Wtedy użyła słowa „dokładnie".

– Widziałam dokładnie, że zjadła pani winogrona – wyszeptałam najciszej jak tylko umiałam. – A przedtem Pani nie zapłaciła za nie panu ze sklepu. Po prostu włożyła je Pani do buzi i zjadła. A to się chyba nazywa kradzież.

Potem znowu schowałam głowę pod swoją spódniczkę.

– Nie musisz się chować, Zuziu – powiedziała Pani. – To ja powinnam się schować. To przecież ja wzięłam winogrona.

Wyjrzałam na nią spod spódniczki. Pani się do mnie uśmiechnęła. I wytłumaczyła mi, jak to właściwie było.

– Dwa tygodnie temu kupiłam w tym sklepie winogrona – powiedziała. – Jak przyjechałam do domu, okazało się, że są okropnie kwaśne. Nikt w rodzinie nie chciał ich jeść. Dlatego w tym tygodniu, gdy wybraliśmy się z mężem do sklepu, pomyślałam sobie, że spróbuję kilka winogron, zanim je kupię.

– Czy tak się robi? – spytałam cichutko, unosząc brwi ze zdziwienia.

Pani pokręciła głową.

– Nie – odpowiedziała. – Tak się nie robi. Powinnam powiedzieć sprzedawcy o tamtych kwaśnych winogronach. A potem zapytać go, czy mogę teraz trochę spróbować. Ale tego nie zrobiłam. Miałaś więc rację, że zmartwiłaś się, gdy zobaczyłaś, że jem winogrona, za które nie zapłaciłam.

– Naprawdę? – spytałam.

– Oczywiście, że tak – zapewniła Pani i znowu się do mnie uśmiechnęła. – Bo to znaczy, że potrafisz odróżnić dobre postępowanie od złego. I znaczy to również, że nauczyciele robią błędy jak wszyscy inni ludzie. Nauczyciele nie są doskonali, Zuziu. Nikt nie jest doskonały.

Poczułam ulgę. Bo już nie miałam sekretu.

– No tak, a wie pani, co ja jeszcze widziałam? – spytałam bardzo wesoło. – Widziałam, jak całowała się pani z tym swoim dziwnym facetem. A to było tak przy wszystkich! Ale Pani nie wiedziała, że ja ją śledzę. Bo właściwie to mi nie wolno. Tylko moja mama wcale się o tym nie dowiedziała!

Uśmiechnęłam się, bardzo z siebie dumna.

Ale Pani nie odpowiedziała mi uśmiechem. I Dyrektor też się nie uśmiechnął. A wiecie dlaczego? Bo wypsnął mi się drugi sekret.

8

Dzień Babci i Dziadka

Pani wróciła do Sali numer 9. Bo odezwał się dzwonek na zajęcia.

Dyrektor nie pozwolił mi iść razem z Panią. Powiedział, żebym została na drewnianym krześle.

Potem zadzwonił do mamy i opowiedział jej o tym, co się zdarzyło w sklepie. I o moich przeszpiegach.

Dyrektor jest kapusiem.

Mama powiedziała, że chce ze mną porozmawiać. Ale jak powiedziałam cześć, to wcale mi nie odpowiedziała.

Powiedziała za to, że jest ze mnie niezadowolona, moja panno. I koniec ze szpiegowaniem znaczy koniec ze szpiegowaniem. I porozmawiamy o tym, jak wróci z pracy.

Potem mama oświadczyła, że nie życzy sobie więcej telefonów od Dyrektora. Czy zrozumiałam, co powiedziała? Czy dotarło to do mnie wreszcie?

Spojrzałam na Dyrektora.

– Mama mówi, żeby pan więcej do niej nie dzwonił – powiedziałam.

Wtedy mama jęknęła głośno przez słuchawkę. Tylko nie wiem dlaczego.

Potem się rozłączyła. Dyrektor powiedział, że mogę wrócić do Sali numer 9. No to pobiegłam tam bardzo szybko.

Ale niestety właśnie skończyli śpiewanie, a ja to bardzo lubię.

Dlatego po prostu usiadłam w ławce i czekałam, co będzie dalej.

Pokazałam Lucynce plaster.

– Widzisz? Moja głowa wcale nie wybuchła – powiedziałam wesoło.

– A szkoda! – burknął ten wstrętny Józek.

Pogroziłam mu pięścią. Potem wdaliśmy się w bójkę. Tak nazywają w szkole takie coś jak to, że ja niechcący rozerwałam mu koszulę. I wiecie co? Wcale nie dostałam za to bury!

Bo właśnie wtedy nadeszli nasi dziadkowie i nasze babcie.

– HEJ, TO MÓJ, TO MÓJ! – wrzasnęłam bardzo zadowolona. – TEN ŁYSY DZIADEK JEST MÓJ!

– A właśnie że mój! – krzyknęła Halinka.

– Nie, mój! – zawołał Rysio.

Potem weszła babcia z blond włosami. Miała długie czerwone paznokcie. I wiszące kolczyki z klejnotami.

– To moja babcia! – krzyknęła Lucynka.

Uśmiechnęłam się do niej.

– Twoja babcia ma chyba kupę forsy – powiedziałam.

Potem weszła jeszcze jedna babcia. I podbiegła do tego Józka, którego nienawidzę. I próbowała go uściskać.

Ale ten wstrętny Józek stał, jakby kij połknął. I wcale nie uściskał swojej babci.

Poklepałam ją po ramieniu.

– Ja panią uściskam – powiedziałam.

I mocno się wyściskałyśmy.

– Nienawidzę pani wnuczka – szepnęłam jej milutko.

Wtedy Pani zaklaskała głośno i poprosiła, żeby babcie i dziadkowie usiedli na końcu.

Potem opowiadaliśmy, co robimy w Sali numer 9.

– Tu jest bardzo fajnie – powiedziała moja najlepsza przyjaciółka Greta. – Uczymy się liczyć. I czytać. I myć ręce po wyjściu z toalety.

– I mamy przerwy, i podwieczorek, i rysunki – dodał Rysio. – Ja najbardziej lubię rysunki! – zawołałam. – Tylko że mój rysunek nie wisi na ścianie. Bo narysowałam konia. Ale jego głowa wyglądała jak gruby serdel. Musiałam więc podrzeć rysunek i podeptać go butami.

Wtedy ten wstrętny Józek popukał się w głowę. I to tak przy wszystkich babciach i dziadkach!

– Tylko że wszyscy robią błędy! – zawołałam. – Prawda, proszę pani? Bo przecież w sobotę całowała się pani z jakimś dziwnym facetem w sklepie spożywczym! A potem ukradła pani winogrona. Bo nawet nauczyciele robią błędy. Prawda?

Pani zrobiła dziwną minę. A potem okropnie się zaczerwieniła. I nie mogła wydusić z siebie ani słowa.

– Dlaczego nic Pani nie mówi? – zapytałam. – Czy martwy kot odgryzł pani język?

Wtedy babcia Teresa zaczęła się głośno śmiać. A potem roześmiał się dziadek Henryk.

Po chwili dołączyli do nich inni.

– ALE TU WESOŁO! – zawołałam.

Potem Pani zrobiła się już nie taka czerwona.

Wreszcie był poczęstunek. Babcia Teresa pomogła mi położyć moje ciasteczka na talerzu.

Pani powiedziała głośno, że dzieci mogą zjeść tylko po dwa ciasteczka.

Ale ja zjadłam aż cztery pyszne czekoladowe. I nikt tego nie zauważył!

Ale to się nie nazywa kradzież. To się nazywa dokładka.

Po poczęstunku goście musieli wrócić do swoich domów. Uściskałam więc mocno babcię i dziadka. Potem wyściskałam babcię tego wstrętnego Józka.

A także nadzianą babcię Lucynki.

– Śliczne ma pani kolczyki – powiedziałam.

Pani widziała, że jestem bardzo uprzejma. I uśmiechnęła się do mnie bardzo miło.

Pani ma białe zęby. Zupełnie jak dziadek Henryk. Tylko że tych jej chyba nie da się wyjąć z buzi. Ale nie jestem tego całkiem pewna. Więc wiecie co? Nadal chciałabym schować się w jej koszu na brudy.

Spis rozdziałów

Szukaj **mnie** w księgarniach

Uwielbiam książki! A Ty?

Ty możesz przeczytać następną książkę **o mnie**.

Zrób to koniecznie!

Zuźka D. Zołzik i ohydny keks

Zuźka D. Zołzik i potwór spod łóżka

Zuźka D. Zołzik podrywa pięknego Stasia

O Autorce

Czy Barbara Park chodziła kiedyś na przeszpiegi?

„Jak byłam mała, często chowałam się w koszu na brudy – przyznaje. – Nie pachniało tam zbyt ładnie!".

Teraz obserwuje detektywów sklepowych, którzy polują na złodziejaszków.

„Może wyglądam na zwykłą klientkę, ale wykonuję zadania specjalne!" – mówi.

Tytuł oryginału
Junie B. Jones and some Sneaky Peeky Spying

Text copyright © 1994 by Barbara Park.
Illustrations copyright © 1994 by Denise Brunkus.
All rights reserved under International
and Pan-American Copyright Conventions.
Published in the United States by Random House, Inc., New York,
and simultaneously in Canada by Random House
of Canada Limited, Toronto.

© Copyright for the Polish edition
by Wydawnictwo „Nasza Księgarnia", Warszawa 2006
© Copyright for the Polish translation by Magdalena Koziej, 2006

Wydawnictwo
NASZA KSIĘGARNIA

02–868 Warszawa, ul. Sarabandy 24 c
tel. (0–22) 643 93 89, 331 91 49, faks (0–22) 643 70 28
e–mail: naszaksiegarnia@nk.com.pl

Dział Handlowy:
tel. (0–22) 331 91 58, 331 91 55, tel./faks 643 64 42
Sprzedaż wysyłkowa: tel. (0–22) 641 56 32
e–mail: sklep.wysylkowy@nk.com.pl   **www.nk.com.pl**

REDAKTOR Małgorzata Grudnik-Zwolińska
REDAKTOR TECHNICZNY Małgorzata Wielądek
DTP Karia Korobkiewicz

ISBN 83-10-11144-4

PRINTED IN POLAND

Wydawnictwo „Nasza Księgarnia", Warszawa 2006 r.
Wydanie pierwsze
Druk: OPOLgraf.SA